LES PETITES COCHONNAILLES

de David Baroche

À mes parents, pour m'avoir donné
le goût des bonnes choses et des plaisirs de la table.

En couverture : recette du petit salé aux lentilles.

Conception graphique : francis m
Mise en page : Natacha Marmouget

Connectez-vous sur :
www.lamartiniere.fr

© 2004 Éditions Minerva, Genève (Suisse)
ISBN : 2-8307-0743-5

LES PETITES COCHONNAILLES
de David Baroche

Photographies : Alain Gelberger

Stylisme : Catherine Bouillot

Minerva

Au petit théâtre

Depuis ma plus tendre enfance, le cochon fait partie de ma vie.

••••••

Tout petit déjà, dans la ferme mayennaise de mes grands-parents, je regardais ce curieux animal tout en rondeurs qui me donnait envie de le caresser. Par la suite, dans la charcuterie familiale, j'ai pris plaisir à déguster les préparations que mes parents fabriquaient sous forme de terrines, boudins, galantines… Cette première approche gustative a été décisive dans mon choix professionnel.

Lors de ma formation de charcutier, j'ai compris combien le cochon était important et présent dans l'alimentation quotidienne de chacun des Français, puisque sa viande est la première consommée dans notre pays. J'ai ainsi naturellement décidé de lui consacrer un restaurant et, aujourd'hui, un livre de recettes.

Vous découvrirez tout au long de cet ouvrage les mariages subtils de saveurs que permet le cochon. Je vous propose des recettes simples et variées, pour l'apéritif, l'entrée ou le plat principal, qu'elles soient authentiques, comme un petit salé aux lentilles ou un baeckeoffe, ou plus originales, comme les travers de porc au riz croustillant ou le rôti de lotte au jambon de pays.

••••••

Ce livre a été conçu pour rendre hommage à « Monsieur Cochon » et promet des moments chaleureux, car le cochon est généreux et rassemble tous ceux qui l'apprécient.

David Baroche
Restaurant Au Petit Théâtre
15, place du Marché-Saint-Honoré
75001 Paris
Tél. : 01 42 61 00 93

Sommaire

LES COCHONS ORIGINAUX

LES COCHONS AUTHENTIQUES

Tuiles au chorizo et au parmesan

TEMPS DE PRÉPARATION
25 minutes

INGRÉDIENTS
POUR 4 PERSONNES
100 g de fines tranches de chorizo
(petit diamètre)
50 g de parmesan râpé
10 olives vertes dénoyautées
3 blancs d'œufs
100 g de farine
100 g de beurre ramolli
Sel
Poivre du moulin

Sortez la plaque du four et préchauffez-le à 210 °C (th. 7).

Coupez le chorizo en tout petits carrés et les olives en rondelles.

Déposez le beurre dans un saladier, ajoutez les blancs d'œufs, la farine, 1 pincée de sel et 2 tours de moulin à poivre, puis fouettez le tout jusqu'à l'obtention d'une pâte lisse. Laissez reposer cette pâte 15 minutes à température ambiante.

Sur la plaque du four recouverte de papier sulfurisé, réalisez de fines bandes de pâte de 6 cm de longueur sur 3 cm de largeur, en les espaçant bien les unes des autres. Saupoudrez-les de parmesan et parsemez-les de chorizo et d'olives.

Enfournez la plaque et laissez cuire les tuiles 5 minutes environ. Laissez-les refroidir et servez-les.

Ne salez pas davantage la pâte à tuiles, car le parmesan l'est déjà suffisamment. Vous pouvez parsemer vos tuiles de lamelles de jambon de pays, d'anchois hachés ou d'une julienne de poireaux blanchie.

Mises en bouche de boudin noir

TEMPS DE PRÉPARATION
45 minutes

INGRÉDIENTS
POUR 4 PERSONNES

3 boudins noirs de 14 cm
de long environ
1 baguette de pain
3 oignons émincés
1 branche de thym
1 feuille de laurier
1 pincée de noix de muscade râpée
10 g de beurre
2 pincées de sucre semoule
Sel
Poivre du moulin

Préchauffez le four à 180 °C (th. 6).
Faites fondre le beurre dans une cocotte.
Ajoutez le thym, le laurier et les oignons,
puis laissez-les colorer 7 minutes à feu
vif. Couvrez et laissez cuire 20 minutes à
feu doux.
Ajoutez la noix de muscade, le sucre,
1 pincée de sel et 1 tour de moulin à poivre. Mélangez et laissez refroidir. Retirez
le thym et le laurier de la cocotte et réservez cette confiture d'oignons.
Coupez la baguette en rondelles de 1 cm
d'épaisseur et faites-les griller au four.
Retirez délicatement la peau des boudins en les incisant dans la longueur et
découpez-les en rondelles de 1/2 cm
d'épaisseur.
Étalez la confiture d'oignons sur les rondelles de pain et déposez une rondelle
de boudin noir sur chacune d'elles. Servez aussitôt.

*Vous pouvez servir ces mises en
bouche légèrement chaudes après
les avoir passées quelques minutes
au four préchauffé à 150 °C (th. 5).
La capitale du boudin noir est
Mortagne-au-Perche, où se déroule
chaque année le concours du meilleur
boudin noir.*

Soupe de chou-fleur et chips de lard

Sortez la plaque du four et préchauffez-le à 210 °C (th. 7).

Déposez les tranches de poitrine fumée sur la plaque du four recouverte de papier sulfurisé. Enfournez-la et laissez griller les tranches pendant 8 minutes. Laissez-les refroidir.

Détaillez le chou-fleur en petits bouquets. Lavez-les dans un récipient d'eau froide mélangée au vinaigre.

Épluchez la pomme de terre, coupez-la en gros cubes et déposez-les dans une casserole d'eau froide avec le chou-fleur, le laurier, la gousse d'ail et 2 pincées de gros sel. Portez à ébullition, couvrez et laissez cuire 25 minutes à feu moyen. Retirez le laurier, ajoutez la crème liquide, la noix de muscade, 1 pincée de sel et 1 tour de moulin à poivre, puis mixez le tout. Vous devez obtenir une crème onctueuse. Laissez-la refroidir 2 heures au réfrigérateur.

Répartissez la soupe dans des tasses à café et déposez sur chacune un chips de lard. Parsemez de ciboulette et servez.

L'été, ajoutez de la glace pilée à la soupe au moment de la mixer, elle refroidira plus rapidement. L'hiver, servez-la chaude.

TEMPS DE PRÉPARATION
1 heure + 2 heures au réfrigérateur

INGRÉDIENTS
POUR 4 PERSONNES

4 tranches très fines de poitrine fumée (lard fumé)

1/4 de chou-fleur

1 pomme de terre (type bintje)

1/2 gousse d'ail épluchée

1 pincée de noix de muscade râpée

1/2 feuille de laurier

3 brins de ciboulette ciselée

1/2 cuillerée à café de vinaigre de vin blanc

10 cl de crème fraîche liquide

Gros sel

Sel

Poivre du moulin

Rouleaux de jambon au chèvre

TEMPS DE PRÉPARATION
25 minutes

INGRÉDIENTS
POUR 4 PERSONNES

6 fines tranches de jambon
de Bayonne
100 g de chèvre frais
1 branche de céleri
1 cuillerée à café de piment de
Cayenne moulu
1/2 botte de ciboulette ciselée
1/2 botte de coriandre ciselée
20 cl de crème fraîche liquide
Sel
Poivre du moulin

Dans un bol, écrasez le chèvre à la fourchette. Ajoutez la crème liquide, la ciboulette, la coriandre, le piment de Cayenne, 1 pincée de sel et 1 tour de moulin à poivre, puis mélangez jusqu'à l'obtention d'une consistance homogène.

Lavez la branche de céleri, éliminez les filandres et détaillez-la en bâtonnets de 3 cm de longueur sur 1/2 cm de largeur environ. Étalez une fine couche de préparation à base de chèvre sur les tranches de jambon, puis alignez les bâtonnets de céleri au centre des tranches dans le sens de la longueur.

Roulez les tranches de jambon autour du céleri et coupez ces rouleaux en tronçons de 3 cm de longueur environ. Réservez-les au réfrigérateur avant de les servir bien frais.

Vous pouvez remplacer le céleri par les légumes croquants de votre choix (carottes, poivrons...).

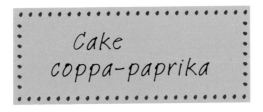

Dans un saladier, déposez le beurre, les œufs et 1 pincée de sel, puis mélangez bien.

Dans un autre saladier, mélangez la farine, la levure, la coppa et les tomates séchées coupées en petits morceaux, le paprika, le piment et le gruyère.

Mélangez ces deux préparations et laissez reposer cette pâte 30 minutes au réfrigérateur.

Préchauffez le four à 240 °C (th. 8).

Beurrez un moule à cake et remplissez-le de la préparation. Enfournez-le et laissez cuire le cake 10 minutes. Baissez ensuite le four à 180 °C (th. 6) et laissez cuire le cake encore 40 minutes. Démoulez-le, laissez-le refroidir et servez-le coupé en petits cubes.

Vérifiez la cuisson du cake en y plantant la pointe d'un couteau : le cake est cuit si elle en ressort sèche. Vous pouvez déguster ce cake avec un plateau de fromages, il remplace merveilleusement le pain.

TEMPS DE PRÉPARATION
30 minutes de repos + 1 heure

INGRÉDIENTS
POUR 4 PERSONNES

100 g de coppa

50 g de tomates séchées

50 g de gruyère râpé

3 œufs

1 cuillerée à café de paprika doux en poudre

1 pincée de piment d'Espelette en poudre

200 g de farine

11 g de levure chimique (1 sachet)

130 g de beurre ramolli

Sel

Brochettes de porc aux épices

Coupez le porc en cubes de 1,5 cm de côté environ.

Dans un saladier, mélangez les échalotes, l'ail, les baies roses, le curry, le quatre-épices, la cive, le nuoc-mâm, la sauce soja, le miel, l'huile d'olive et 2 tours de moulin à poivre.

Piquez deux cubes d'échine par brochette et déposez-les dans le saladier contenant la sauce. Laissez-les mariner 3 heures au réfrigérateur.

Préchauffez le four à 150 °C (th. 5).

Égouttez les brochettes et déposez-les dans un plat allant au four. Enfournez-le et laissez cuire les brochettes 35 minutes en les retournant de temps en temps. Laissez-les tiédir et servez-les.

N'hésitez pas à laisser mariner vos brochettes toute la nuit, elles n'en seront que plus tendres et savoureuses. Vous pouvez également faire cuire ces brochettes au barbecue.

TEMPS DE PRÉPARATION
3 heures de marinade + 50 minutes

INGRÉDIENTS
POUR 4 PERSONNES

250 g d'échine ou d'épaule de porc

2 échalotes hachées

2 gousses d'ail hachées

1/2 cuillerée à café de baies roses

1/2 cuillerée à café de curry en poudre

1 cuillerée à café de quatre-épices

1 botte de cive émincée

16 cl de nuoc-mâm

4 cuillerées à café de sauce soja

2 cuillerées à café de miel toutes fleurs

10 cl d'huile d'olive

12 petites brochettes en bois

Poivre du moulin

Nems au jambon et aux petits légumes

TEMPS DE PRÉPARATION
25 minutes + 30 minutes de repos

INGRÉDIENTS
POUR 4 PERSONNES

1 talon de jambon cuit de 400 g coupé en dés
8 feuilles de pâte filo
1 carotte coupée en fins bâtonnets
1 courgette coupée en fins bâtonnets
100 g de pousses de soja
1 nid de cheveux d'ange
(dans les épiceries asiatiques)
10 cacahuètes concassées
1 botte de coriandre hachée
25 cl de sauce soja
10 g de beurre fondu
1 cuillerée à soupe d'huile de sésame
Gros sel
Poivre du moulin

Faites cuire les cheveux d'ange dans de l'eau bouillante salée pendant 2 minutes, rafraîchissez-les et égouttez-les.
Faites chauffer l'huile dans une poêle. Ajoutez la carotte, la courgette et les pousses de soja, puis laissez cuire 3 minutes à feu vif. Déposez-les dans un saladier, ajoutez 2 cuillerées à soupe de sauce soja, mélangez, puis égouttez les légumes. Laissez-les refroidir dans le saladier, puis ajoutez le jambon, la coriandre, les cheveux d'ange, le reste de sauce soja et 2 tours de moulin à poivre. Mélangez bien. Badigeonnez de beurre une face des feuilles de pâte. Coupez-les en deux et répartissez au centre de chaque morceau, du côté beurré, les légumes au jambon. Saupoudrez de cacahuètes et roulez la pâte en formant des nems. Laissez-les reposer 30 minutes au réfrigérateur.
Sortez la plaque du four et préchauffez-le à 150 °C (th. 5).
Badigeonnez les nems de beurre, déposez-les sur la plaque du four recouverte de papier sulfurisé, enfournez-la et laissez dorer les nems 8 minutes en les retournant souvent. Servez aussitôt.

Accompagnez ces nems de sauce soja et de feuilles de laitue et de menthe.

[18]

Mini-brochettes de Saint-Jacques au lard

Dans une petite casserole, portez la crème liquide à ébullition et laissez-la cuire 7 minutes à feu moyen. Elle doit réduire de moitié. Laissez refroidir, puis incorporez le fromage blanc, le raifort, la ciboulette, 2 tours de moulin à poivre et 1 pincée de sel. Mélangez au fouet et réservez cette sauce au raifort.

Enroulez chaque noix de Saint-Jacques dans une tranche de lard fumé et maintenez-les à l'aide d'une pique.

Faites chauffer le beurre et l'huile dans une poêle jusqu'à l'obtention d'une couleur noisette. Ajoutez les mini-brochettes de Saint-Jacques et laissez-les colorer 1 minute de chaque côté à feu vif. Ajoutez 1 tour de moulin à poivre.

Égouttez les mini-brochettes sur du papier absorbant et servez-les aussitôt accompagnées de sauce au raifort.

Respectez bien la cuisson des noix de Saint-Jacques : trop cuites, elles ont tendance à devenir élastiques. Ne salez pas ces mini-brochettes, car le lard fumé l'est déjà suffisamment.

TEMPS DE PRÉPARATION
15 minutes

INGRÉDIENTS
POUR 4 PERSONNES
12 tranches fines de poitrine fumée (lard fumé) sans couenne
12 noix de Saint-Jacques
2 cuillerées à soupe de raifort râpé
1/2 botte de ciboulette
5 cuillerées à soupe de fromage blanc
20 cl de crème fraîche liquide
10 g de beurre
1 cuillerée à soupe d'huile d'olive
12 piques en bois
Sel
Poivre du moulin

Canapés de pain d'épices au boudin blanc

TEMPS DE PRÉPARATION
45 minutes

INGRÉDIENTS
POUR 4 PERSONNES

3 boudins blancs de porc
8 tranches de pain d'épices
3 pommes (type golden ou gala)
3 tiges de cerfeuil
10 g de beurre

Épluchez les pommes, retirez-en le cœur et les pépins et coupez-les en gros cubes. Faites chauffer le beurre dans une cocotte, ajoutez les cubes de pommes et laissez-les compoter 30 minutes à feu doux. Laissez refroidir.

Sortez la plaque du four et préchauffez-le à 180 °C (th. 6).

Découpez les tranches de pain d'épices en rectangle de 3 cm de longueur sur 2 cm de largeur environ. Retirez délicatement la peau des boudins en les incisant dans la longueur et découpez-les en rondelles de 1 cm d'épaisseur environ. Étalez une couche de compote sur les rectangles de pain d'épices, puis déposez une rondelle de boudin blanc par-dessus.

Déposez ces canapés sur la plaque du four recouverte de papier sulfurisé, enfournez-la et laissez cuire les canapés pendant 5 minutes. Décorez de cerfeuil et servez aussitôt.

Vous pouvez réaliser cette recette avec du boudin blanc truffé ou du boudin blanc aux griottes (dans les charcuteries fines) et remplacer la compote de pommes par de la compote de poires.

Samosas au jambon et au bleu

TEMPS DE PRÉPARATION
35 minutes

INGRÉDIENTS
POUR 4 PERSONNES

4 tranches très fines de jambon
de Bayonne

200 g de bleu d'Auvergne

6 feuilles de pâte filo (ou de brik)

150 g de mesclun

50 g de pignons

1/2 cuillerée à café de paprika doux
en poudre

1 cuillerée à café de vinaigre
balsamique

10 g de beurre fondu

8 cuillerées à soupe d'huile de
pépins de raisin

4 cuillerées à soupe d'huile de noix
(ou de noisette)

Sel

Poivre du moulin

Préchauffez le four à 180 °C (th. 6).
Coupez chaque tranche de jambon en
trois, le bleu d'Auvergne en douze et les
feuilles de pâte filo en deux. Badigeonnez
de beurre les morceaux de pâte sur une
seule face. Déposez au centre de chacun
d'eux un morceau de jambon et un morceau de bleu. Ajoutez 1 pincée de paprika
et de sel et 1 tour de moulin à poivre.
Repliez chaque morceau de pâte en trian-
gles afin d'obtenir douze samosas.
Badigeonnez-les du reste de beurre,
déposez-les dans un plat allant au four et
enfournez-le. Laissez cuire les samosas
6 minutes. Ils doivent être bien dorés.
Pendant ce temps, faites griller les
pignons à la poêle.
Faites dissoudre 1 pincée de sel dans le
vinaigre. Ajoutez 1 tour de moulin à poivre et versez l'huile de pépins de raisin et
de noix en fouettant. Versez cette vinaigrette sur le mesclun.
Répartissez le mesclun dans vos assiettes
de service. Déposez trois samosas par-
dessus et parsemez de pignons grillés.
Servez aussitôt.

Vous pouvez remplacer le bleu
d'Auvergne par quatre crottins de
Chavignol frais ou du livarot.

Salade Saint-Antoine

La veille, déposez dans une cocotte l'oreille et le nez de cochon, la carotte, l'oignon piqué des clous de girofle, la moitié de l'échalote épluchée, le laurier, le thym et le poivre en grains, puis couvrez d'eau froide. Portez à ébullition à feu vif, couvrez et laissez cuire 4 heures à feu doux. Laissez refroidir et réservez toute la nuit au réfrigérateur.

Le jour même, égouttez le nez et l'oreille de cochon et émincez-les. Déposez-les dans un saladier avec le reste d'échalote émincé, l'estragon et 1 cuillerée à soupe de vinaigre. Mélangez et réservez.

Déposez les pommes de terre dans une casserole d'eau froide salée. Portez à ébullition et laissez-les cuire 20 minutes. Rafraîchissez-les et coupez-les en rondelles. Faites dissoudre 1 pincée de sel dans le reste de vinaigre, ajoutez 1 tour de moulin à poivre et versez l'huile en fouettant. Versez cette vinaigrette sur les pommes de terre.

Égouttez le nez et l'oreille de cochon et servez-les entourés de pommes de terre et parsemés de cerfeuil.

Cette recette est un hommage au patron des charcutiers : saint Antoine.

TEMPS DE PRÉPARATION
4 heures 30 + 1 nuit de marinade

INGRÉDIENTS
POUR 4 PERSONNES

1 oreille de cochon demi-sel

1 nez de cochon demi-sel

8 pommes de terre (type roseval)

1 carotte coupée en morceaux

1 oignon

1 échalote

1/2 cuillerée à café de poivre en grains

2 clous de girofle

1 feuille de laurier

1 branche de thym

2 brins d'estragon haché

2 tiges de cerfeuil ciselé

2 cuillerées à soupe de vinaigre de xérès (ou de framboise)

12 cl d'huile d'olive

Sel

Poivre du moulin

Terrine de cochon aux foies de volaille

TEMPS DE PRÉPARATION
4 heures + 2 nuits de repos

INGRÉDIENTS
POUR 4 PERSONNES
1 kg de poitrine ou de gorge de porc hachée
600 g de foies de volaille
600 g de blancs de volaille
50 g de crépine de porc (chez le charcutier)
100 g de pistaches entières mondées
3 œufs
4 échalotes émincées
1/2 cuillerée à café de noix de muscade râpée
15 cl de porto
15 g de beurre
1 pincée de sucre semoule
Sel
Poivre du moulin

L'avant-veille, faites chauffer 10 g de beurre dans une casserole et faites-y suer les échalotes 5 minutes à feu moyen. Ajoutez les foies de volaille, 1 pincée de sel et 1 tour de moulin à poivre, puis laissez cuire 2 minutes à feu moyen. Arrosez de 5 cl de porto et laissez refroidir.
Coupez les blancs de volaille en cubes de 1 cm de côté. Dans un saladier, mélangez-les avec le porc haché, la muscade, le reste de porto, le sucre, 2 cuillerées à soupe de sel et 2 tours de moulin à poivre. Ajoutez les pistaches et les œufs et mélangez. Ajoutez enfin les foies au porto et mélangez bien.
Beurrez une terrine de 2,5 kg environ. Déposez-y le mélange du saladier, tassez bien et recouvrez de crépine. Réservez toute la nuit au réfrigérateur.
La veille, préchauffez le four à 180 °C (th. 6). Enfournez la terrine dans un bain-marie et laissez-la cuire 30 minutes, puis baissez le four à 150 °C (th. 5) et laissez-la cuire encore 3 heures. Réservez à nouveau toute la nuit au réfrigérateur.

Vous pouvez réaliser une gelée au porto et en arroser abondamment la terrine avant de la réserver au réfrigérateur.

Velouté de pois verts au jambon cru

TEMPS DE PRÉPARATION
1 heure

INGRÉDIENTS
POUR 4 PERSONNES
2 tranches très fines de jambon
de Bayonne
500 g de pois verts (pois cassés)
1 oignon
1 gousse d'ail
1 pincée de noix de muscade râpée
1 branche de thym
1 feuille de laurier
15 cl de crème fraîche liquide
10 g de beurre
1 cuillerée à soupe d'huile d'olive
Sel
Poivre du moulin

Fouettez la crème liquide bien froide jusqu'à l'obtention d'une consistance de chantilly. Ajoutez la muscade, 1 pincée de sel et 1 tour de moulin à poivre, puis mélangez délicatement. Réservez au réfrigérateur.
Lavez les pois et égouttez-les.
Dans une cocotte, faites chauffer le beurre à feu vif. Déposez-y le jambon, l'oignon épluché coupé grossièrement en morceaux, l'ail en chemise, le thym et le laurier, puis laissez cuire 10 minutes à feu moyen. Ajoutez les pois, couvrez d'eau et laissez cuire 30 minutes à feu moyen.
Égouttez le jambon et découpez-le en fines lanières. Mélangez-les délicatement à la crème fouettée.
Retirez le thym, le laurier et l'ail de la cocotte, puis mixez les pois, l'oignon et leur eau de cuisson. Salez et poivrez ce velouté de pois verts.
Versez le velouté de pois verts dans une soupière, ajoutez un filet d'huile et servez aussitôt en présentant à part la crème fouettée au jambon.

Vous pouvez remplacer les pois par des lentilles vertes. Si le velouté est trop épais, détendez-le avec un peu d'eau, de lait ou de crème fraîche liquide.

Pâté de sanglier

TEMPS DE PRÉPARATION
4 heures + 2 nuits de repos

INGRÉDIENTS
POUR 4 PERSONNES

600 g de gorge ou de poitrine
de sanglier hachée
1 kg de gorge ou de poitrine
de porc hachée
500 g de foie de porc haché
100 g de crépine de porc
(chez le charcutier)
3 œufs
2 échalotes hachées
1 gousse d'ail écrasée
1/2 cuillerée à café de noix de
muscade râpée
3 branches de thym
150 cl de vin rouge
5 g de saindoux (ou de beurre)
1 pincée de sucre semoule
Sel
Poivre du moulin

L'avant-veille, déposez la gorge de sanglier, la gorge de porc et le foie dans un saladier. Ajoutez la muscade, le sucre, 3 cuillerées à soupe de sel et 4 tours de moulin à poivre, puis mélangez jusqu'à l'obtention d'une consistance homogène. Ajoutez les feuilles de thym, les échalotes, l'ail, le vin rouge et les œufs, puis mélangez bien.

Badigeonnez une terrine de 2,5 kg environ de saindoux. Déposez-y la préparation à base de viandes, tassez bien et recouvrez de crépine. Réservez toute la nuit au réfrigérateur.

La veille, préchauffez le four à 180 °C (th. 6). Enfournez la terrine dans un bain-marie et laissez cuire le pâté 30 minutes, puis baissez le four à 150 °C (th. 5) et laissez-le cuire encore 3 heures.

Laissez refroidir le pâté et réservez-le à nouveau toute la nuit au réfrigérateur.

Vous pouvez réaliser ce pâté avec le gibier de votre choix. Sa quantité ne doit jamais dépasser un tiers du poids total de la farce, sinon le goût du pâté serait trop prononcé.

Tarte normande au boudin noir

Épluchez les pommes, retirez-en le cœur et les pépins et coupez-les en huit. Faites chauffer 10 g de beurre dans une poêle et faites-y colorer les pommes 2 minutes à feu vif. Laissez refroidir.

Retirez délicatement la peau des boudins en les incisant dans la longueur et coupez-les en rondelles de 1/2 cm d'épaisseur environ. Réservez.

Préchauffez le four à 180 °C (th. 6).

Beurrez un moule à tarte de 20 cm de diamètre environ. Étalez-y la pâte feuilletée et laissez-la reposer 15 minutes au réfrigérateur. Pendant ce temps, fouettez les œufs avec la crème liquide et la muscade. Salez et poivrez.

Disposez les quartiers de pommes sur la pâte en les alternant avec les rondelles de boudins. Parsemez de noix, ajoutez 1 tour de moulin à poivre et versez la préparation à base d'œufs.

Enfournez la tarte et laissez-la cuire 45 minutes. Servez-la tiède.

Accompagnez cette tarte de mesclun assaisonné à l'huile de noix et au vinaigre de cidre.

TEMPS DE PRÉPARATION
1 heure 15

INGRÉDIENTS
POUR 4 PERSONNES

2 boudins noirs de 14 cm de long environ

250 g de pâte feuilletée

2 pommes (type golden ou gala)

15 g de cerneaux de noix mondés

3 œufs

1 pincée de noix de muscade râpée

50 cl de crème fraîche liquide

15 g de beurre

Sel

Poivre du moulin

Salade de choucroute et cervelas rôtis

TEMPS DE PRÉPARATION
1 nuit de repos + 25 minutes

**INGRÉDIENTS
POUR 4 PERSONNES**
4 petits cervelas individuels cuits
1,5 kg de choucroute crue
(chez le charcutier)
100 g de cerneaux de noix mondés
3 cuillerées à soupe de graines
de cumin
1 botte de ciboulette hachée
1 botte de cerfeuil haché
1 cuillerée à soupe de moutarde
3 cuillerées à soupe de vinaigre
de vin rouge
10 g de beurre
12 cl d'huile d'arachide
Sel
Poivre du moulin

La veille, rincez deux fois la choucroute à l'eau froide, égouttez-la et déposez-la dans un saladier.

Préparez une vinaigrette : faites dissoudre 1 pincée de sel dans 2 cuillerées à soupe de vinaigre. Ajoutez 2 tours de moulin à poivre et versez l'huile d'arachide en fouettant. Ajoutez la moutarde, le cumin, la ciboulette et le cerfeuil, mélangez, puis versez cette vinaigrette sur la choucroute et mélangez à nouveau. Couvrez de film alimentaire et réservez toute la nuit au réfrigérateur.

Le jour même, sortez la choucroute du réfrigérateur et réservez-la à température ambiante. Poêlez les cervelas dans le beurre 10 minutes à feu doux, puis arrosez-les du reste de vinaigre.

Servez la choucroute recouverte des cervelas et parsemée de noix.

Une recette typiquement alsacienne où la choucroute cuit dans la marinade et reste croquante. Accompagnez cette entrée de tokay pinot gris.

Caldo verde

Versez 2 litres d'eau dans une cocotte. Plongez-y les pommes de terre épluchées et coupées en gros cubes, la branche de céleri coupée grossièrement en morceaux, l'ail épluché et le thym. Ajoutez 1 pincée de gros sel et portez à ébullition. Couvrez et laissez cuire 45 minutes à feu doux.

Retirez les grosses côtes du chou, lavez-le et émincez-le très finement.

Retirez la branche thym de la cocotte et mixez le tout.

Reversez cette soupe dans la cocotte, ajoutez le chou, le chorizo coupé en fines rondelles et l'huile d'olive, puis laissez cuire 10 minutes à feu moyen. Le chou doit être bien cuit. Salez, poivrez et servez aussitôt.

Lors d'un voyage au Portugal, une vieille dame m'a fait découvrir cette recette à l'ombre d'un olivier. Quel bonheur ! Si la soupe est trop épaisse, détendez-la avec du bouillon de volaille ou de légumes ou, à défaut, un peu d'eau.

TEMPS DE PRÉPARATION
1 heure 10

**INGRÉDIENTS
POUR 4 PERSONNES**
1 chorizo courbé
4 grosses pommes de terre
(type bintje)
1/4 de chou vert
1/2 branche de céleri
1 gousse d'ail
1 branche de thym
1 cuillerée à soupe d'huile d'olive
Gros sel
Sel
Poivre du moulin

Aumônières d'andouillette à la moutarde

Faites chauffer 10 g de beurre dans une casserole. Déposez-y le laurier, le thym et les trois quarts des échalotes, puis laissez-les compoter 7 minutes à feu moyen. Couvrez et laissez confire 15 minutes. Salez, poivrez et laissez refroidir.

Dans une autre casserole, faites suer le reste d'échalotes dans 10 g de beurre 5 minutes à feu moyen. Ajoutez le vin blanc et laissez réduire 7 minutes. Ajoutez la moutarde et la crème liquide, puis laissez cuire encore 5 minutes à feu doux. Salez, poivrez et réservez.

Sortez la plaque du four et préchauffez-le à 210 °C (th. 7).

Répartissez la compote d'échalotes et les andouillettes coupées en rondelles de 1 cm d'épaisseur au centre des feuilles de brik. Refermez-les en aumônières et maintenez-les avec les piques en bois. Badigeonnez-les du reste de beurre et déposez-les sur la plaque du four recouverte de papier sulfurisé. Laissez cuire 8 minutes.

Servez les aumônières entourées de sauce à la moutarde parsemée de ciboulette.

L'andouillette de Troyes est la seule à être façonnée à la main et tirée à la ficelle, ce qui permet d'aligner les lanières dans sa robe.

TEMPS DE PRÉPARATION
50 minutes

INGRÉDIENTS
POUR 4 PERSONNES
2 andouillettes de Troyes de 14 cm de long environ
4 feuilles de brik (ou 4 crêpes de sarrasin)
6 échalotes émincées
1/2 feuille de laurier
1 branche de thym
3 tiges de ciboulette
2 cuillerées à soupe de moutarde de Meaux
10 cl de vin blanc sec
50 cl de crème fraîche liquide
25 g de beurre
4 piques en bois
Sel
Poivre du moulin

Lentilles aux saucisses de Morteau

TEMPS DE PRÉPARATION
1 heure 10

INGRÉDIENTS
POUR 4 PERSONNES
2 saucisses de Morteau
1 tranche de poitrine fumée
(lard fumé) de 1/2 cm d'épaisseur
300 g de lentilles vertes
2 carottes
2 oignons
1 échalote émincée
1/2 cuillerée à café de poivre en grains
3 feuilles de laurier
2 branches de thym
1 botte de ciboulette hachée
1 botte de cerfeuil haché
1 cuillerée à café de vinaigre de xérès
12 cl d'huile d'olive
Gros sel
Sel
Poivre du moulin

Dans une casserole, déposez les saucisses, un oignon et une carotte épluchés et coupés en deux, deux feuilles de laurier, une branche de thym et le poivre en grains. Couvrez d'eau, portez à ébullition et laissez cuire 20 minutes à feu moyen. Laissez refroidir et égouttez les saucisses. Réservez.

Rincez les lentilles et déposez-les dans une autre casserole avec la poitrine fumée, le reste de thym et de laurier, l'oignon et la carotte restants épluchés et coupés en deux, l'échalote et 1 pincée de gros sel. Couvrez d'eau et laissez cuire 25 minutes à feu moyen. Égouttez les lentilles et laissez-les refroidir dans un plat. Coupez la poitrine en lardons.

Faites dissoudre 1 pincée de sel dans le vinaigre. Ajoutez 2 tours de moulin à poivre et versez l'huile en fouettant. Versez cette vinaigrette sur les lentilles, ajoutez les lardons, le cerfeuil et la ciboulette. Salez, poivrez et mélangez.

Retirez délicatement la peau des saucisses en les incisant dans la longueur et coupez-les en rondelles de 1/2 cm d'épaisseur. Ajoutez-les aux lentilles et servez aussitôt.

Laissez bien refroidir les saucisses dans leur jus de cuisson, elles auront beaucoup plus de saveur.

Jambon persillé

La veille, faites dessaler la palette 20 minutes dans de l'eau froide et égouttez-la. Déposez-la dans une cocotte avec le thym, le laurier, le poivre en grains, les clous de girofle, les oignons et les carottes épluchés et coupés grossièrement en morceaux. Couvrez d'eau et laissez cuire à couvert 2 heures à feu moyen.
Versez le vin blanc dans une casserole et plongez-y les échalotes. Laissez-les cuire 10 minutes à feu moyen. Ajoutez la gelée et la muscade, mélangez et réservez au chaud dans un bain-marie.
Égouttez la palette, désossez-la et coupez-la en tranches de 2 cm d'épaisseur.
Disposez quelques morceaux au fond d'une terrine de 2,5 kg environ, parsemez-les d'un peu de persil et de cerfeuil et ajoutez une louche de gelée aux échalotes. Renouvelez l'opération jusqu'à épuisement des ingrédients et recouvrez de gelée. Laissez refroidir le jambon persillé et réservez-le toute la nuit au réfrigérateur.
Le jour même, servez ce jambon persillé coupé en tranches.

Lorsque vous réaliserez la terrine, il est très important que la palette et la gelée soient très chaudes.

TEMPS DE PRÉPARATION
3 heures + 1 nuit de repos

INGRÉDIENTS
POUR 4 PERSONNES

1 palette de porc demi-sel
2 carottes
2 oignons
3 échalotes émincées
1 pincée de noix de muscade râpée
2 clous de girofle
1/2 cuillerée à café de poivre en grains
1 botte de persil plat haché
1 botte de cerfeuil haché
2 feuilles de laurier
2 branches de thym
1,5 litre de gelée instantanée
60 cl de vin blanc

Travers de porc au riz croustillant

TEMPS DE PRÉPARATION
3 heures de marinade + 1 heure

**INGRÉDIENTS
POUR 4 PERSONNES**

2 kg de travers de porc
100 g de riz basmati
25 g de gingembre frais pelé coupé en morceaux
1 branche de thym
5 brins de ciboulette hachée
5 cuillerées à soupe de sauce soja
30 cl de ketchup
20 g de beurre
2 cuillerées à soupe d'huile d'arachide
10 g de sucre semoule
Sel
Poivre du moulin

Dans un saladier, mélangez le thym, le gingembre, la sauce soja, le ketchup et le sucre. Coupez les travers toutes les deux côtes et déposez-les dans le saladier en les nappant de sauce. Laissez mariner 3 heures au réfrigérateur.
Préchauffez le four à 210 °C (th. 7).
Déposez les travers et la marinade dans un plat allant au four. Enfournez-le et laissez cuire les travers 40 minutes en les retournant de temps en temps. Passez-les ensuite 5 minutes sous le gril.
Faites cuire le riz à l'eau bouillante en respectant le temps de cuisson indiqué sur le paquet. Égouttez-le.
Faites chauffer le beurre et l'huile dans une poêle, puis ajoutez la moitié du riz, 1 pincée de sel et 1 tour de moulin à poivre. Laissez griller 10 minutes à feu vif en remuant sans cesse. Mélangez ce riz grillé au reste de riz et parsemez de ciboulette hachée.
Servez aussitôt les travers de porc en présentant le riz croustillant à part.

N'hésitez pas à laisser mariner les travers de porc une nuit entière, ils n'en seront que meilleurs.

Jarrets au miel épicé et chou rouge

TEMPS DE PRÉPARATION
2 heures

INGRÉDIENTS
POUR 4 PERSONNES
4 jarrets de porc cuits de 500 g chacun
1 chou rouge
1 oignon émincé
1 étoile de badiane (anis étoilé)
1 bâtonnet de cannelle
1/2 cuillerée à café de poivre en grains
1/2 cuillerée à café de poivre cinq-baies
2 branches de thym
2 feuilles de laurier
20 cl de fond de veau
75 cl de vin rouge
7 cuillerées à soupe de miel liquide
10 g de beurre
Gros sel
Poivre du moulin

Dans une cocotte, faites chauffer le beurre et faites-y colorer l'oignon avec le thym et le laurier 5 minutes à feu vif. Ajoutez le chou émincé et laissez cuire 10 minutes à feu vif en mélangeant de temps en temps. Ajoutez le vin rouge, 1 cuillerée à soupe de gros sel et 5 tours de moulin à poivre. Couvrez et laissez cuire 1 heure 15 à feu doux. Ajoutez les jarrets et poursuivez la cuisson de 15 minutes.
Dans une casserole, faites chauffer la badiane, la cannelle, le poivre en grains, le poivre cinq-baies et le miel 7 minutes à feu moyen. Vous devez obtenir une consistance de caramel. Ajoutez le fond de veau et laissez cuire ce miel épicé encore 10 minutes.
Sortez la plaque du four et préchauffez le gril.
Badigeonnez les jarrets de miel épicé et déposez-les sur la plaque du four recouverte de papier sulfurisé. Laissez-les griller pendant 15 minutes.
Servez aussitôt les jarrets au miel épicé sur un lit de chou rouge.

Vous pouvez mélanger au chou des cubes de pommes caramélisés ou des brisures de châtaignes.

Rôti de lotte au jambon de pays

TEMPS DE PRÉPARATION
50 minutes

INGRÉDIENTS
POUR 4 PERSONNES

6 tranches fines de jambon
de Bayonne
1 queue de lotte sans peau et
sans arêtes
1,5 kg de pousses d'épinards lavées
3 tomates épépinées coupées en dés
1 oignon émincé
30 g de pignons
2 branches de thym
1 feuille de laurier
30 g de beurre
1 cuillerée à soupe d'huile d'olive
Sel
Poivre du moulin

Salez et poivrez légèrement la lotte, enveloppez-la des tranches de jambon et ficelez-la comme un rôti.

Dans une cocotte, faites chauffer l'huile et 10 g de beurre. Faites-y colorer le rôti de lotte 7 minutes à feu moyen. Ajoutez les tomates, l'oignon, le thym et le laurier, couvrez et laissez cuire 20 minutes à feu doux en retournant le rôti de lotte de temps en temps.

Dans une grande casserole, faites chauffer 10 g de beurre et faites-y cuire la moitié des épinards 5 minutes à feu vif. Salez, poivrez et égouttez, puis renouvelez l'opération avec le reste d'épinards. Faites griller les pignons à la poêle.

Retirez la ficelle du rôti et coupez-le en tranches. Dans le plat de service, déposez-les sur la garniture de cuisson et servez-les aussitôt en présentant les épinards parsemés de pignons à part.

Accompagnez ce rôti de lotte de riz sauvage.

Sauté de porc au curry

Coupez le porc en cubes de 3 cm de côté environ.

Faites chauffer l'huile dans une cocotte et faites-y colorer les cubes de porc 8 minutes à feu vif.

Ajoutez l'oignon et le thym, puis laissez cuire encore 5 minutes. Ajoutez l'ail en chemise légèrement écrasé, le curry, le cumin, le curcuma, 1 cuillerée à café de sel et 2 tours de moulin à poivre, puis mélangez bien pour enrober l'échine d'épices. Ajoutez le vin blanc et le lait de coco. Portez à ébullition et laissez cuire 45 minutes à feu moyen.

Poêlez les amandes jusqu'à ce qu'elles soient bien dorées.

Retirez l'ail et le thym de la cocotte et servez aussitôt ce sauté de porc parsemé d'amandes.

Vous pouvez accompagner ce plat de patates douces ou de riz.

TEMPS DE PRÉPARATION
1 heure

INGRÉDIENTS
POUR 4 PERSONNES

500 g d'échine ou d'épaule de porc

100 g d'amandes effilées

1 oignon émincé

1 gousse d'ail

4 cuillerées à soupe de curry en poudre

1 cuillerée à soupe de cumin en poudre

1 cuillerée à soupe de curcuma en poudre

1 branche de thym

25 cl de vin blanc

80 cl de lait de coco (ou de lait d'amande)

2 cuillerées à soupe d'huile d'arachide

Sel

Poivre du moulin

Filets mignons de sanglier et spaëtzles

La veille, faites chauffer la moitié du beurre dans une cocotte. Faites-y colorer les carottes, le poireau, le céleri, l'oignon et l'échalote 5 minutes à feu moyen. Ajoutez le thym, le laurier, le poivre et les baies de genièvre, puis laissez cuire 7 minutes à feu doux. Versez le vin et laissez cuire 7 minutes. Laissez refroidir, ajoutez les filets et réservez toute la nuit au réfrigérateur.

Le jour même, préchauffez votre four à 210 °C (th. 7).

Dans une cocotte allant au four, faites colorer les filets égouttés dans 1 cuillerée à soupe d'huile 5 minutes de chaque côté à feu moyen. Enfournez la cocotte 15 minutes.

Mélangez la farine, les œufs, le lait et 2 pincées de sel jusqu'à l'obtention d'une pâte lisse. Portez à ébullition 5 litres d'eau avec 1 cuillerée à soupe d'huile et 1 pincée de sel. Passez la pâte au presse-purée au-dessus de la casserole et laissez cuire les spaëtzles 3 minutes à feu moyen. Rafraîchissez-les et égouttez-les. Poêlez-les dans le reste de beurre 10 minutes à feu moyen. Servez les filets en tranches accompagnés de spaëtzles et parsemés de cerfeuil.

Vous pouvez réaliser une sauce à partir de la marinade.

TEMPS DE PRÉPARATION
1 nuit de marinade + 1 heure

INGRÉDIENTS
POUR 4 PERSONNES
2 gros filets mignons de sanglier (ou 4 petits)
1 blanc de poireau émincé
2 carottes coupées en rondelles
1 branche de céleri émincée
3 œufs
1 oignon émincé
1 échalote émincée
2 baies de genièvre
1/2 cuillerée à café de poivre en grains
1 branche de thym
1 feuille de laurier
1 botte de cerfeuil ciselé
250 g de farine
1 litre de vin rouge
60 cl de lait
20 g de beurre
3 cuillerées à soupe d'huile d'arachide
Sel

Joues de cochon aux carottes fondantes

TEMPS DE PRÉPARATION
4 heures

INGRÉDIENTS
POUR 4 PERSONNES
16 joues de cochon
(ou 20 joues de porcelet)
10 carottes nouvelles coupées
en rondelles
1 blanc de poireau émincé
1 branche de céleri émincée
2 oignons émincés
1 échalote émincée
1 gousse d'ail écrasée
1 cuillerée à soupe de graines de cumin
1/2 cuillerée à café de poivre en grains
1 branche de thym
1 feuille de laurier
1/2 botte de coriandre ciselée
75 cl de vin rouge
30 g de saindoux
20 g de beurre
Gros sel
Sel
Poivre du moulin

Faites chauffer le saindoux dans une cocotte et faites-y colorer quelques rondelles de carotte, le poireau et le céleri avec le thym et le laurier pendant 5 minutes à feu vif. Ajoutez l'ail, le vin, 1 cuillerée à soupe de gros sel et le poivre en grains et laissez cuire 20 minutes à feu doux. Ajoutez les joues de cochon et 40 cl d'eau. Couvrez et laissez cuire 3 heures à feu doux.

Égouttez les joues et faites réduire le jus de cuisson 15 minutes à feu moyen. Salez, poivrez et passez cette sauce au chinois. Réservez-la au chaud dans un bain-marie.

Dans une cocotte, faites chauffer le beurre et faites-y colorer les oignons et l'échalote 5 minutes à feu moyen. Ajoutez le reste de carottes, le cumin, 1 cuillerée à café de gros sel, 1 tour de moulin à poivre et de l'eau à hauteur de la cocotte. Couvrez, laissez cuire 20 minutes à feu doux et égouttez les carottes.

Servez aussitôt les joues nappées de sauce et, à part, les carottes parsemées de coriandre.

Plutôt que de faire cuire les joues sur le feu, vous pouvez, si votre cocotte passe au four, enfourner celle-ci 3 heures à 210 °C (th. 7).

[50]

Côtes de porc en poêlée de champignons

Dans une cocotte, faites chauffer le saindoux et faites-y colorer les côtes de porc 15 minutes de chaque côté à feu vif. Salez, poivrez et égouttez les côtes.

Dans la cocotte, déposez la moitié des échalotes et laissez-les colorer 5 minutes à feu moyen. Ajoutez le céleri, la carotte, l'oignon, le poireau, une gousse d'ail, une branche de thym, une feuille de laurier et la sauge, puis laissez cuire 7 minutes. Ajoutez la farine et mélangez. Versez le porto et ajoutez les côtes et 20 cl d'eau. Couvrez et laissez cuire pendant 1 heure à feu doux.

Pendant ce temps, faites chauffer l'huile dans une poêle et faites-y sauter l'ensemble des champignons 5 minutes à feu vif. Égouttez-les.

Dans une autre poêle, faites chauffer le beurre et faites-y colorer les lardons et le reste d'échalotes et d'ail avec le reste de thym et de laurier 5 minutes à feu moyen. Ajoutez les champignons, salez, poivrez et laissez cuire 15 minutes en mélangeant. Passez le jus de cuisson des côtes au chinois et versez-le dans la poêle des champignons. Ajoutez les côtes et servez.

Demandez au charcutier des côtes avec le travers dessus.

TEMPS DE PRÉPARATION
2 heures

INGRÉDIENTS
POUR 4 PERSONNES

4 côtes de porc épaisses (dans le filet)
2 tranches de poitrine fumée de 1/2 cm d'épaisseur coupées en lardons
200 g de girolles nettoyées
200 g de pleurotes nettoyées
200 g de shiitakes nettoyées
200 g de chanterelles nettoyées
1 carotte nouvelle coupée en rondelles
1/2 branche de céleri émincée
1 blanc de poireau émincé
1 oignon émincé
2 échalotes émincées
5 gousses d'ail en chemise
2 branches de thym
2 feuilles de laurier
5 feuilles de sauge
10 g de farine
30 cl de porto
2 cuillerées à soupe d'huile d'arachide
15 g de saindoux
10 g de beurre
Sel
Poivre du moulin

Gratin d'andouillettes

TEMPS DE PRÉPARATION
1 heure

INGRÉDIENTS
POUR 4 PERSONNES
3 andouillettes de Troyes de 14 cm
de long environ
5 grosses pommes de terre
(type bintje)
100 g de gruyère râpé
1 oignon émincé
1 pincée de noix de muscade râpée
1 branche de thym
1 litre de crème fraîche liquide
15 g de beurre
Sel
Poivre du moulin

Coupez les andouillettes en rondelles de 1 cm d'épaisseur et réservez-les.
Pelez les pommes de terre et coupez-les en rondelles de 1/2 cm d'épaisseur. Faites fondre 10 g de beurre dans une casserole, ajoutez le thym et l'oignon, puis laissez colorer 5 minutes à feu moyen. Ajoutez les rondelles de pommes de terre, la muscade, la crème liquide, 1 pincée de sel et 2 tours de moulin à poivre, puis laissez cuire 40 minutes à feu doux. Retirez le thym.
Préchauffez le four à 180 °C (th. 6).
Beurrez un moule à gratin et étalez-y une couche de rondelles de pommes de terre. Ajoutez une couche de rondelles d'andouillettes et alternez les couches jusqu'à épuisement des ingrédients, en terminant par une couche de pommes de terre.
Parsemez de gruyère, enfournez le plat et laissez cuire le gratin 10 minutes. Faites gratiner ensuite 3 minutes sous le gril et servez aussitôt.

Vous pouvez remplacer les andouillettes par trois saucisses de Morteau cuites 45 minutes à l'eau bouillante avec du thym et du laurier.

Filets mignons de porc aux girolles

Faites chauffer la moitié du beurre dans une cocotte et faites-y colorer la carotte, l'oignon et la poitrine fumée avec le thym et le laurier 10 minutes à feu moyen. Salez et poivrez les filets mignons et incorporez-les à la cocotte avec le fond de veau. Couvrez et laissez cuire 35 minutes à feu doux.

Coupez les pieds terreux des girolles et lavez les chapeaux. Faites chauffer le reste de beurre dans une poêle et faites-y sauter la moitié des girolles 3 minutes à feu vif. Égouttez-les en conservant le jus de cuisson et renouvelez l'opération avec le reste de girolles.

Remettez l'autre moitié des girolles dans la poêle, ajoutez l'échalote, 1 pincée de sel et 1 tour de moulin à poivre, puis laissez cuire 7 minutes à feu doux. Réservez. Égouttez les filets mignons, coupez-les en tranches et réservez-les au chaud en les couvrant de papier d'aluminium.

Versez le jus des girolles dans la cocotte et portez à ébullition. Laissez réduire 15 minutes à feu moyen.

Servez les tranches de filets mignons sur un lit de girolles, nappées de leur jus réduit et parsemées de ciboulette.

Vous pouvez remplacer les girolles par des cèpes ou des pleurotes.

TEMPS DE PRÉPARATION
1 heure 20

**INGRÉDIENTS
POUR 4 PERSONNES**
2 filets mignons de porc
de 350 g chacun
1 tranche de poitrine fumée
(lard fumé) de 1/2 cm d'épaisseur
coupée en lardons
1 kg de girolles
1 carotte coupée en rondelles
1 oignon émincé
1 échalote émincée
1 botte de ciboulette ciselée
1 branche de thym
1/2 feuille de laurier
50 cl de fond de veau
20 g de beurre
Sel
Poivre du moulin

Pavés de cabillaud en écailles de chorizo

TEMPS DE PRÉPARATION
15 minutes

INGRÉDIENTS
POUR 4 PERSONNES

4 beaux pavés de cabillaud sans peau et sans arêtes

24 tranches très fines de chorizo espagnol (gros diamètre)

1 branche de thym

2 cuillerées à soupe d'huile d'olive

Sel

Poivre du moulin

Préchauffez le four à 210 °C (th. 7).
Déposez les pavés de cabillaud dans un plat allant au four. Salez, poivrez et superposez sur chacun d'eux les tranches de chorizo comme de grosses écailles. Parsemez de thym et ajoutez l'huile.
Enfournez le plat et laissez cuire les pavés 10 minutes environ. Servez aussitôt.

En été, accompagnez les pavés de cabillaud d'une salade ou de riz ; en hiver, de lentilles ou d'une purée de pommes de terre à l'huile d'olive. Vous pouvez remplacer le chorizo par de l'andouille et le cabillaud par du bar ou des filets de lieu jaune.

[56]

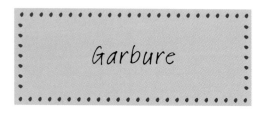

Garbure

TEMPS DE PRÉPARATION
1 nuit de trempage + 2 heures 30

**INGRÉDIENTS
POUR 4 PERSONNES**

1 talon de jambon cru de 300 g

2 saucisses de Toulouse

4 cuisses de canard confites

450 g de haricots blancs

1 chou vert lavé coupé en lanières

4 pommes de terre (type charlotte) épluchées coupées en cubes

2 carottes épluchées coupées en cubes

4 navets épluchés coupés en cubes

2 échalotes émincées

1 gousse d'ail

2 branches de thym

2 feuilles de laurier

20 cl de vin blanc sec

10 g de beurre

Sel

Poivre du moulin

La veille, faites tremper les haricots blancs et le jambon dans de l'eau froide. Réservez toute la nuit à température ambiante.

Le jour même, déposez le jambon dans une cocotte remplie d'eau et portez à ébullition. Ajoutez les haricots, le thym, le laurier, la gousse d'ail épluchée, puis laissez cuire 35 minutes à feu moyen.

Plongez le chou 7 minutes dans de l'eau bouillante, rafraîchissez-le et égouttez-le.

Dans une poêle, faites chauffer le beurre. Ajoutez le vin blanc et les échalotes et laissez-les suer 5 minutes à feu moyen. Ajoutez les carottes et les navets, puis laissez colorer 7 minutes.

Incorporez dans la cocotte le contenu de la poêle et les saucisses. Salez, poivrez et laissez cuire 25 minutes à feu moyen. Ajoutez le chou et les pommes de terre et laissez cuire encore 30 minutes.

Préchauffez le four à 210 °C (th. 7). Baissez-le à 180 °C (th. 6) et faites-y cuire les cuisses de canard 30 minutes.

Déposez les viandes égouttées coupées en morceaux, les cuisses de canard et les légumes dans une soupière. Versez le bouillon et servez aussitôt.

Accompagnez la garbure de tartines grillées frottées à l'ail.

Saucissons briochés

Déposez les saucissons, le thym, le laurier, les carottes et l'oignon dans une cocotte, versez le bouillon, couvrez et laissez cuire 20 minutes à feu moyen. Laissez refroidir. Dans un saladier, mélangez 40 g de farine, la levure et 50 cl d'eau. Réservez.

Dans la cuve d'un batteur, versez le reste de farine, huit œufs, le sucre et 2 cuillerées à soupe de sel. Actionnez le batteur pendant 10 minutes en troisième vitesse. Ajoutez le mélange de farine et de levure et battez en seconde vitesse jusqu'à ce que la pâte se décolle des parois. Ajoutez le beurre et battez jusqu'à ce que la pâte soit lisse. Laissez gonfler 45 minutes, puis battez la pâte 5 minutes en première vitesse. Réservez 45 minutes.

Sortez la plaque du four et préchauffez-le à 210 °C (th. 7).

Retirez la peau des saucissons égouttés et essuyez-les avec du papier absorbant. Étalez la pâte en deux rectangles et enroulez-y les saucissons. Rabattez les extrémités. Réservez 30 minutes à température ambiante. Badigeonnez du jaune d'œuf restant salé et faites cuire sur la plaque du four recouverte de papier sulfurisé 30 minutes. Servez aussitôt.

Accompagnez ces saucissons briochés d'une sauce à la truffe.

TEMPS DE PRÉPARATION
3 heures

INGRÉDIENTS
POUR 4 PERSONNES

2 saucissons de Lyon aux pistaches (truffés ou non)

2 carottes coupées en quatre

9 œufs

1 oignon coupé en quatre

1 feuille de laurier

2 branches de thym

80 g de farine

30 g de levure de boulanger

3 litres de bouillon de porc

350 g de beurre ramolli

1 pincée de sucre semoule

Sel

Choucroute garnie

Préchauffez le four à 180 °C (th. 6).
Dans une cocotte allant au four, faites chauffer le saindoux et faites-y suer l'oignon 5 minutes à feu moyen. Hors du feu, ajoutez la choucroute démêlée, les carottes, le clou de girofle, le poivre en grains, les baies de genièvre, le cumin, le thym, le laurier, le vin et 1 cuillerée à soupe de gros sel. Mélangez, ajoutez la poitrine et versez de l'eau à mi-hauteur de la cocotte. Couvrez, enfournez et laissez cuire 1 heure 30.
Retirez la poitrine et réservez-la. Mélangez le contenu de la cocotte et enfournez-la à nouveau 1 heure. Ajoutez les jarrets et les pommes de terre épluchées, couvrez, puis enfournez 30 minutes.
Coupez la poitrine en tranches de 1 cm d'épaisseur. Déposez-les dans la cocotte avec les saucisses de Francfort et les saucisses de Montbéliard. Couvrez et enfournez 15 minutes.
Retirez le thym et le laurier et servez.

Vous pouvez ajouter une multitude de produits à cette choucroute (saucisses au cumin, saucisses de Strasbourg, travers...).

TEMPS DE PRÉPARATION
3 heures 30

INGRÉDIENTS
POUR 4 PERSONNES
2 jarrets de porc cuits
300 g de poitrine fumée crue
(lard fumé)
4 saucisses de Francfort cuites
2 saucisses de Montbéliard cuites
coupées en deux
1,2 kg de choucroute crue lavée
et égouttée
400 g de pommes de terre
(type charlotte)
2 carottes coupées en deux
1 oignon émincé
1 clou de girofle
1 cuillerée à café de poivre en grains
1 cuillerée à café de baies de genièvre
1 cuillerée à café de graines de cumin
2 branches de thym
1 feuille de laurier
20 cl de vin blanc sec d'Alsace
10 g de saindoux (ou de graisse d'oie)
Gros sel

Sauté de sanglier

TEMPS DE PRÉPARATION
1 nuit de marinade + 2 heures 30

**INGRÉDIENTS
POUR 4 PERSONNES**

2 kg d'épaule ou de poitrine de sanglier
coupée en cubes de 3 cm de côté
150 g de poitrine fumée (lard fumé)
coupée en lardons
400 g de champignons de Paris émincés
2 carottes coupées en rondelles
1 oignon émincé
4 échalotes émincées
2 gousses d'ail écrasées
2 clous de girofle
3 baies de genièvre
2 cuillerées à café de poivre en grains
1 bouquet garni
1 branche de cerfeuil
15 feuilles de sauge
60 g de farine
40 cl de fond de veau
75 cl de vin rouge (pinot noir)
70 g de beurre
1 cuillerée à café d'huile d'arachide
Sel
Poivre du moulin

Dans un saladier, mélangez le sanglier, les carottes, l'oignon, l'ail, les échalotes, le bouquet garni, dix feuilles de sauge, le poivre en grains, les baies de genièvre, les clous de girofle et le vin. Couvrez de film alimentaire et réservez toute la nuit au réfrigérateur.

Le jour même, égouttez le sanglier en réservant la marinade. Faites chauffer 30 g de beurre et l'huile dans une cocotte. Ajoutez le sanglier et laissez colorer 7 minutes à feu vif. Versez la farine, laissez cuire 5 minutes, puis ajoutez la marinade et le fond de veau. Couvrez et laissez cuire 1 heure 40 à feu doux.

Pendant ce temps, plongez les lardons dans une casserole d'eau froide, portez à ébullition à feu vif et rafraîchissez-les. Dans une grande poêle, faites chauffer le reste de beurre et faites-y colorer les champignons 5 minutes à feu moyen. Ajoutez les lardons et continuez la cuisson 7 minutes.

Disposez le sanglier dans un plat creux. Passez la sauce au chinois, salez, poivrez et nappez-en la viande. Recouvrez de champignons et de lardons, décorez de sauge et de cerfeuil et servez aussitôt.

Vous pouvez réaliser cette recette avec un autre gibier.

Petit salé aux lentilles

TEMPS DE PRÉPARATION
3 heures

INGRÉDIENTS
POUR 4 PERSONNES
1 rôti d'échine de porc demi-sel
de 400 g environ
1 kg de travers de porc demi-sel
300 g de poitrine fumée (lard fumé)
coupée en lardons
4 saucisses de Montbéliard
(ou saucisses au cumin)
450 g de lentilles vertes
2 carottes
2 oignons émincés
1 poireau coupé en tronçons de 3 cm
1 cuillerée à café de poivre en grains
1 botte de cerfeuil haché
2 branches de thym
2 feuilles de laurier
10 g de beurre
Sel
Poivre du moulin

Faites tremper les travers et l'échine et, à part, les lentilles 30 minutes dans de l'eau froide. Égouttez le tout.
Dans une cocotte, déposez les trois quarts des oignons, une carotte en rondelles, le poireau, une branche de thym, une feuille de laurier, le poivre en grains et le rôti. Couvrez d'eau et portez à ébullition à feu vif. Laissez cuire 45 minutes à feu moyen. Ajoutez la poitrine et les travers, couvrez et laissez cuire 50 minutes. Ajoutez les saucisses et laissez cuire 20 minutes.
Faites chauffer le beurre à feu doux dans une casserole et faites-y colorer le reste d'oignons 7 minutes à feu moyen.
Ajoutez la carotte restante coupée en cubes, le reste de thym et de laurier, les lentilles, les lardons, 2 cuillerées à café de sel et 2 tours de moulin à poivre. Couvrez d'eau et portez à ébullition à feu moyen. Laissez cuire 35 minutes à feu doux. Égouttez les lentilles, salez, poivrez et mélangez.
Servez aussitôt les lentilles parsemées de cerfeuil et recouvertes des viandes égouttées et coupées en morceaux.

Pour être bien tendres, les viandes doivent être constamment en immersion. Ajoutez de l'eau chaude en cours de cuisson, si nécessaire.

Choux farcis

Retirez les grosses côtes du chou, lavez-le et effeuillez-le. Portez à ébullition 2 litres d'eau salée dans une casserole. Plongez-y les feuilles de chou 7 minutes, rafraîchissez-les et égouttez-les. Choisissez quatre grandes feuilles et émincez le reste de chou.

Faites chauffer le beurre dans une poêle et faites-y colorer les échalotes 5 minutes à feu doux. Ajoutez une carotte coupée en petits cubes et les lardons, et laissez cuire 7 minutes à feu moyen. Ajoutez le chou émincé et laissez cuire 7 minutes. Laissez refroidir.

Dans un saladier, mélangez l'œuf et le porc, puis ajoutez la préparation à base de chou. Mélangez bien.

Dans une cocotte, déposez la carotte restante coupée en rondelles, le poireau, le thym, le laurier et 2 litres d'eau. Couvrez et laissez sur feu doux le temps de préparer les choux farcis.

Étalez les grandes feuilles de choux et répartissez-y la farce. Rabattez les feuilles sur la farce et ficelez-les. Déposez-les dans la cocotte, couvrez et laissez cuire 1 heure à feu doux. Servez aussitôt.

Si votre chou est petit, prévoyez deux feuilles pour chaque chou farci.

TEMPS DE PRÉPARATION
1 heure 40

INGRÉDIENTS
POUR 4 PERSONNES

400 g de chair de porc nature

2 tranches épaisses de poitrine fumée (lard fumé) coupées en lardons

1 chou vert

2 carottes

1 blanc de poireau coupé en tronçons de 3 cm

1 œuf

2 échalotes émincées

1 branche de thym

1 feuille de laurier

20 g de beurre

Gros sel

Pieds de cochon grillés

TEMPS DE PRÉPARATION
25 minutes

INGRÉDIENTS
POUR 4 PERSONNES
4 pieds de cochon avant cuits et panés
1,5 kg de pommes de terre
(type grenaille)
1 oignon émincé
1 gousse d'ail
1 cuillerée à café de poivre
mignonnette
1 botte de cerfeuil haché
2 branches de thym
1 feuille de laurier
50 g de saindoux
Gros sel

Préchauffez le four à 180 °C (th. 6).
Déposez les pommes de terre lavées et coupées en deux dans un plat allant au four. Recouvrez-les de saindoux et d'oignon, saupoudrez-les de poivre mignonnette et de 1/2 cuillerée à café de gros sel, puis ajoutez le thym, le laurier et la gousse d'ail en chemise légèrement écrasée. Enfournez le plat et laissez cuire les pommes de terre 40 minutes en les mélangeant de temps en temps. Réservez au chaud.
Déposez les pieds de cochon dans un plat allant au four, enfournez-le et laissez chauffer les pieds pendant 20 minutes. Passez le four en position gril et laissez griller les pieds 5 minutes.
Servez aussitôt les pieds de cochon en présentant à part les pommes de terre parsemées de cerfeuil.

L'histoire raconte que Louis XVI, lors de sa fuite en 1789, se serait arrêté à Sainte-Menehould pour y manger des pieds de cochon. Il prit son temps pour se régaler et fut reconnu par des villageois. Il fut arrêté le lendemain à Varennes...

Potée

TEMPS DE PRÉPARATION
4 heures

INGRÉDIENTS
POUR 4 PERSONNES

1 palette de porc demi-sel
désossée et ficelée
500 g de poitrine de porc demi-sel
2 queues de cochon demi-sel
3 saucisses de Montbéliard
1 couenne de lard dégraissée
1 chou vert
400 g de pommes de terre
(type charlotte)
3 carottes coupées en rondelles
3 navets coupés en morceaux
1 poireau coupé en rondelles
1 branche de céleri coupée
en rondelles
1 cuillerée à café de poivre en grains
2 branches de thym
2 feuilles de laurier
Gros sel

Faites dessaler la palette et la poitrine dans de l'eau froide pendant 30 minutes.

Pendant ce temps, retirez les grosses côtes du chou, lavez-le et effeuillez-le. Portez à ébullition 2 litres d'eau salée dans une casserole, plongez-y les feuilles de chou 7 minutes, rafraîchissez-les et égouttez-les.

Chemisez une grande cocotte de couenne, puis déposez-y la palette de porc, la poitrine, les queues de cochon, les feuilles de chou, les carottes, les navets, le poireau, le céleri, le thym, le laurier et le poivre en grains. Ajoutez de l'eau à hauteur de la cocotte et portez à ébullition à feu moyen. Couvrez et laissez cuire 2 heures 30.

Ajoutez les saucisses et les pommes de terre non pelées. Couvrez et laissez cuire 40 minutes à feu doux.

Coupez la viande en morceaux et servez en présentant les légumes à part.

Remplacer les saucisses de Montbéliard par des saucisses de Morteau ou demandez à votre charcutier des saucisses un peu originales (au cumin, au chou, aux oignons...).

Baeckeoffe

La veille, déposez les pieds et la queue de cochon dans un saladier rempli d'eau froide. Réservez toute la nuit à température ambiante.

Mélangez dans un saladier l'échine de porc, l'agneau, le bœuf, l'ail, le bouquet garni, le riesling, 2 cuillerées à café de sel et 4 tours de moulin à poivre. Couvrez et laissez mariner toute la nuit au réfrigérateur.

Le jour même, graissez un plat à baeckeoffe avec le saindoux. Étalez-y la moitié des pommes de terre et, par-dessus, la moitié des carottes, des poireaux et des oignons. Ajoutez les viandes marinées, les pieds et la queue de cochon, le reste des légumes, puis la marinade jusqu'aux trois quarts de la terrine.

Préchauffez le four à 180 °C (th. 6).

Dans un bol, mélangez la farine, 5 cuillerées à soupe d'eau et l'huile jusqu'à l'obtention d'une pâte. Couvrez la cocotte de son couvercle et soudez-le au plat à l'aide de la pâte.

Enfournez et laissez cuire 3 heures. Cassez la pâte et servez.

En Alsacien, le mot baeckeoffe signifie « potée boulangère » : on le cuisait dans le four du boulanger.

TEMPS DE PRÉPARATION
1 nuit de trempage et de marinade + 3 heures 20

INGRÉDIENTS
POUR 4 PERSONNES

600 g d'échine de porc coupée en cubes de 4 cm de côté

2 pieds de cochon demi-sel coupés en deux

1 queue de cochon demi-sel

400 g d'épaule ou collier d'agneau coupé en cubes de 4 cm de côté

400 g de gîte ou palette de bœuf coupé en cubes de 4 cm de côté

1 kg de pommes de terre (type bintje) pelées et coupées en rondelles

2 blancs de poireaux coupés en tronçons de 3 cm

2 carottes coupées en rondelles

2 oignons émincés

1 gousse d'ail écrasée

1 bouquet garni

125 g de farine

35 cl de riesling

20 g de saindoux

1 cuillerée à soupe d'huile d'arachide

Sel

Poivre du moulin

Rôti de porc au bacon et à l'emmental

TEMPS DE PRÉPARATION
1 heure 15

**INGRÉDIENTS
POUR 4 PERSONNES**
1 kg de filet de porc
8 tranches de bacon
250 g d'emmental coupé en tranches
de 1/2 cm d'épaisseur
100 g de crépine de porc
(chez le charcutier)
1 oignon émincé
1 branche de thym
1 feuille de laurier
20 cl de vin blanc sec
10 g de beurre

Réalisez huit entailles profondes dans la largeur du filet de porc, comme si vous coupiez des tranches en vous arrêtant aux trois quarts.

Glissez une tranche de bacon et une tranche d'emmental dans chaque entaille. Recouvrez le filet du reste d'emmental, entourez-le de crépine et ficelez-le.

Préchauffez le four à 210 °C (th. 7).

Faites chauffer le beurre dans une cocotte allant au four et faites-y colorer l'oignon 5 minutes à feu moyen. Retirez du feu, ajoutez le filet de porc, le thym, le laurier, le vin blanc et 10 cl d'eau. Couvrez, enfournez la cocotte et laissez cuire le rôti 50 minutes.

Retirez le couvercle, passez le four en position gril et laissez cuire encore 5 minutes.

Retirez la ficelle et coupez le rôti en tranches de 1 cm. Servez-les nappées du jus de cuisson.

Vous pouvez accompagner ce rôti d'un gratin de macaronis, d'une purée ou une salade.

Rouelle de porc à la bière

Coupez la rouelle en cubes de 2 cm de côté environ.

Faites chauffer la moitié du beurre dans une cocotte et faites-y colorer les cubes de rouelle 7 minutes à feu vif. Salez, poivrez et réservez.

Faites chauffer le reste de beurre dans la cocotte et faites-y colorer les oignons 7 minutes environ à feu moyen. Salez, poivrez et réservez.

Préchauffez le four à 150°C (th. 5)

Dans la cocotte, alternez des couches de cubes de rouelle et d'oignons en déposant le thym et le laurier au milieu des couches. Versez la bière à hauteur de la cocotte et déposez sur le dessus la tranche de pain badigeonnée de moutarde sur les deux faces. Couvrez la cocotte, enfournez-la et laissez cuire pendant 3 heures.

Retirez la tranche de pain et mixez-la avec 40 cl de jus de cuisson. Déposez la rouelle et les oignons dans un plat de service, versez le jus de cuisson et déposez par-dessus le pain mixé. Servez aussitôt.

Accompagnez cette recette flamande de frites maison.

TEMPS DE PRÉPARATION
25 minutes

INGRÉDIENTS
POUR 4 PERSONNES

1 rouelle de porc sans couenne de 700 g environ

1 tranche de pain de campagne au levain

4 oignons émincés

1/2 branche de laurier

1 branche de thym

1 cuillerée à soupe de moutarde forte

2 bières blondes de 33 cl chacune

50 g de beurre

Sel

Poivre du moulin

Index des produits

Remerciements

......

À toutes les personnes qui m'ont aidé à réaliser ce livre, et tout particulièrement à Delphine, ma compagne, ainsi qu'à Jean-Luc Petitrenaud, qui m'a offert la possibilité de mettre en valeur ce merveilleux animal qu'est le cochon.

David Baroche

Shopping

••••••

Tous nos remerciements aux fabricants, boutiques et show-rooms pour leur collaboration :

CMO
5, rue de Chabanais - 75002 Paris
Tél. : 01 40 20 45 98
Pages : 24-25, 32-33, 36, 67

Gargantua
Tél. : 01 42 33 52 08
www.gargantua.ch
Pages : 12-13

Faïence Gien
Points de vente au : 01 42 66 52 32
Page : 29

Guy Degrenne
Points de vente au : 02 31 66 44 00
Pages : 29, 52

Jeanine Cros
11, rue d'Assas - 75006 Paris
Tél. : 01 45 48 00 67
Pages : 9, 21, 27, 29

Jars
Rapon - 26140 Anneyron
Tél. : 04 75 31 40 40
Pages. : 9, 27, 43, 57

Laguiole
1, place Sainte-Opportune
75001 Paris
Tél. : 01 40 28 09 42
Pages : 24-25, 27, 32-33, 43,
45, 60, 69

Le Creuset
02230 Fresnoy-le-Grand
Points de vente au :
0810 000 231 (n° azur)
Pages : 52-53, 69

Staub
Points de vente au :
0800 74 77 77 (n° vert)
Pages : 16, 45, 60, 66-67

Véronique Pichon
19 bis, rue de la Gare - 30700 Uzès
Tél. : 04 66 22 19 53
Pages : 24-25, 32-33, 63, 66-67

En couverture :
assiette et couverts Guy Degrenne

Et tout particulièrement à la
société Bragard
186-188, rue du Faubourg-
Saint-Martin - 75010 Paris
Tél. : 01 42 09 78 09
Fax : 01 40 38 99 02

DANS LA MÊME COLLECTION :

Les Petits Bocaux de Ludovic Perraudin
Les Petites Boîtes de Stéphane Thoreton
Les Petits Bols de Jérôme Gangneux
Les Petits Plats Scandinaves de Peter Thulstrup
Les Petites Poêlées de Bruno Gensdarmes

Photogravure : Quadrilaser à Ormes
Achevé d'imprimer en février 2004
sur les presses de l'imprimerie Ercom à Vicenza
ISBN : 2-8307-0743-5
Dépôt légal : avril 2004
Imprimé en Italie